03/2020
STRAND PRICE
$3.00
D1203163

Stephen Savage
MORSE, OÙ ES-TU ?
Pastel
l'école des loisirs

Pour David

Merci à Elizabeth, Joe, Riccardo, et surtout à Stefanie.

Design: Stephen Savage et David Saylor
Titre original: "Where's Walrus?",
Scholastic Press, New York, 2011.

Loi 49 956 du 16 juillet 1949,
sur les publications destinées à la jeunesse.
Dépôt légal: septembre 2011
ISBN 978-2-211-20597-9

Typographie française: *Architexte*, Bruxelles
Imprimé en Italie par *Grafiche AZ*, Vérone

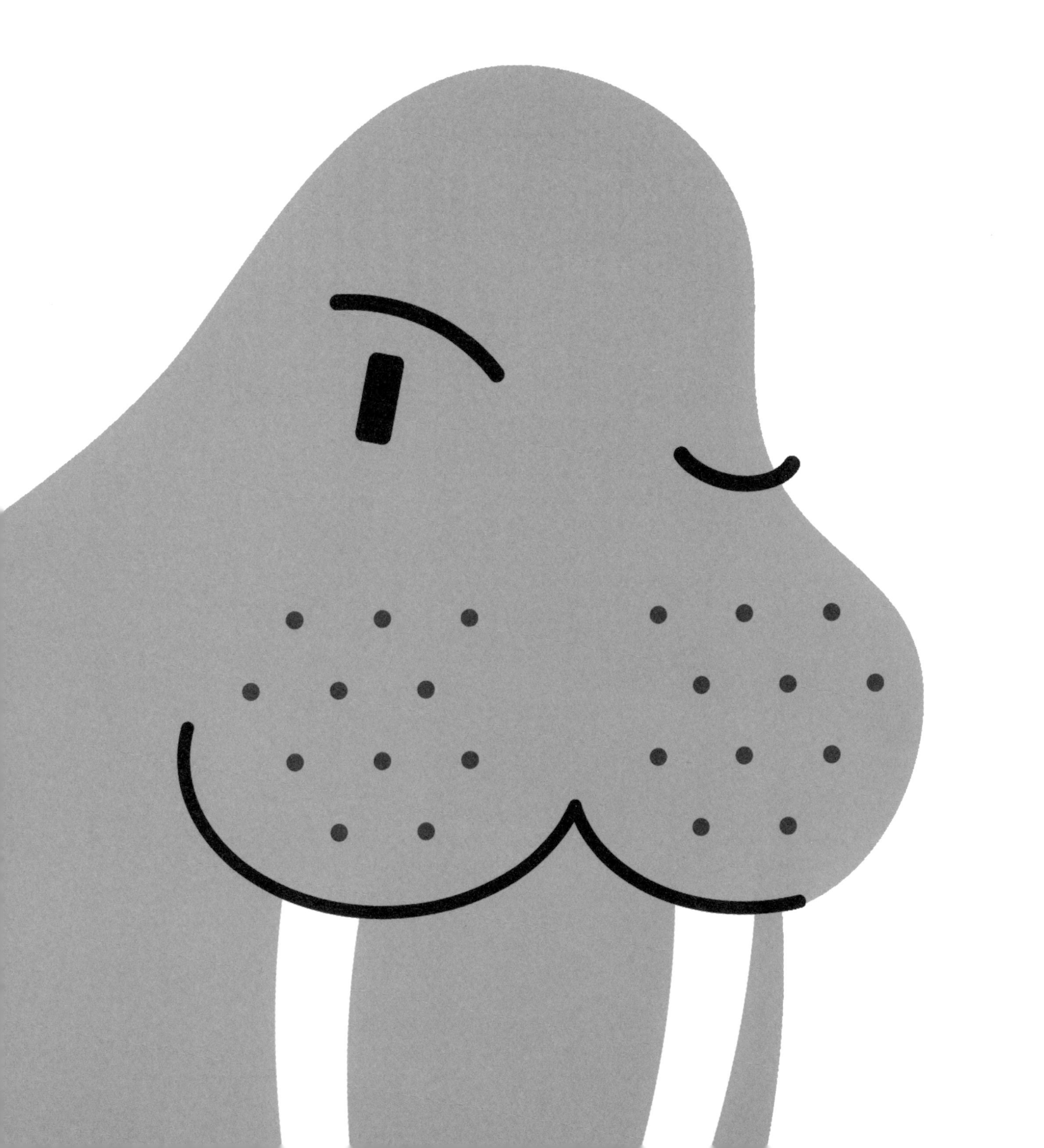

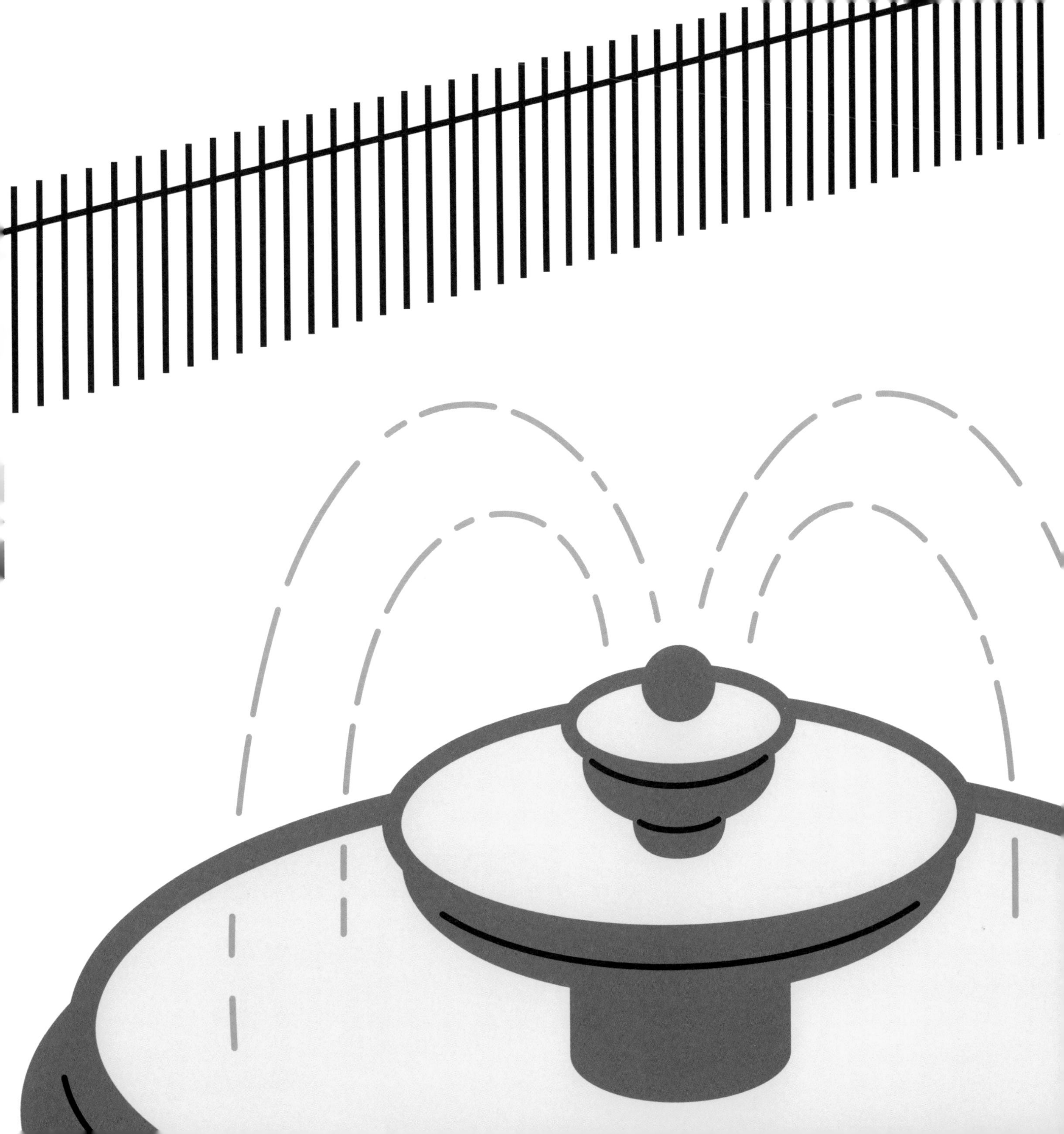

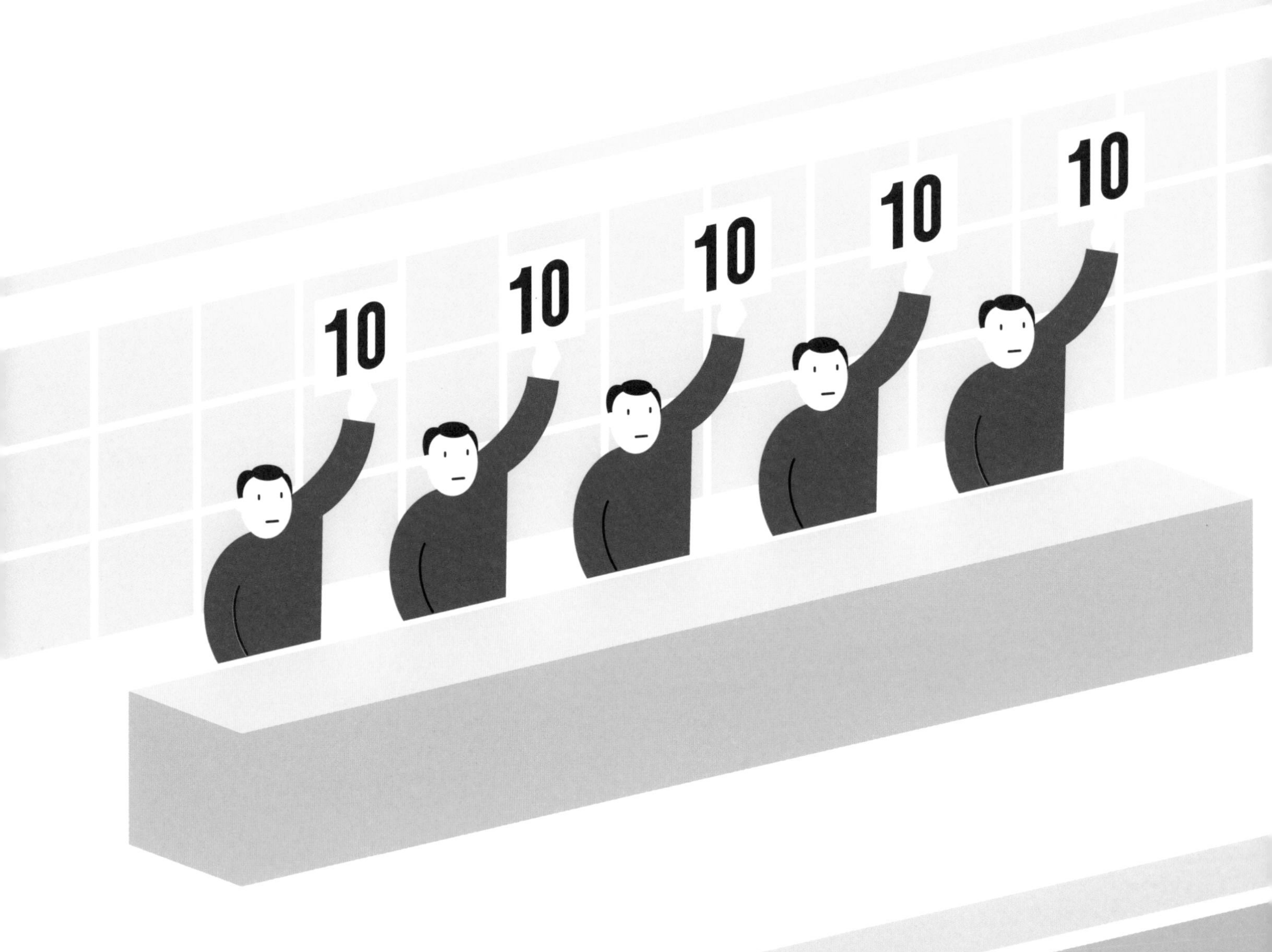
10
10
10
10
10